图书在版编目（CIP）数据

第一只恐龙飞上天／北京自然博物馆，刘珊著；廖杰，哐当哐当工作室绘．—北京：北京科学技术出版社，2020.6
（穿越时空的自然博物馆）
ISBN 978-7-5714-0778-0

Ⅰ．①第…　Ⅱ．①北…　②刘…　③廖…　④哐…　Ⅲ．①恐龙－普及读物　Ⅳ．① Q915.864－49

中国版本图书馆 CIP 数据核字 (2020) 第 026236 号

第一只恐龙飞上天（穿越时空的自然博物馆）

作　　者：北京自然博物馆　刘　珊
绘　　者：廖　杰　哐当哐当工作室
策划编辑：阎泽群　刘　辰　代　冉
责任编辑：张　芳
责任印制：李　茗
图文制作：天露霖文化
封面设计：沈学成
出 版 人：曾庆宇
出版发行：北京科学技术出版社
社　　址：北京西直门南大街16号
邮政编码：100035
电话传真：0086-10-66135495（总编室）
　　　　　0086-10-66161952（发行部传真）
　　　　　0086-10-66113227（发行部）
网　　址：www.bkydw.cn
电子信箱：bjkj@bjkjpress.com
经　　销：新华书店
印　　刷：北京博海升彩色印刷有限公司
开　　本：787mm×1092mm　1/16
印　　张：2.25
版　　次：2020年6月第1版
印　　次：2020年6月第1次印刷
ISBN 978-7-5714-0778-0 / Q・188

定价：42.80元

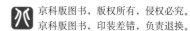

穿越时空的自然博物馆

第一只恐龙飞上天

北京自然博物馆 刘 珊◎著

廖 杰 哐当哐当工作室◎绘

北京科学技术出版社

从生命诞生开始，如何很好地生存是早期生命体的一大课题。"吃"是物种生存中很重要的一环，生物想要活下去都要"吃"。从肉眼看不到的单细胞生物，到拥有智慧的人类，从寄宿在其他动物身上吃，到可以用双手去做想吃的美食，历经了 35 亿年。

病毒

海绵

最开始的生命怎么吃？

从单细胞生物，如靠光合作用生存的蓝藻，到多细胞生物，生物的体形逐渐增大，这就使得它们需要更多的能量，而它们获取能量的方式也发生了变化。例如，海绵动物身上的每一个小孔都是用来获取食物的"嘴巴"，它们通过不断振动体壁的鞭毛，使海水中的营养物质不断从这些小孔渗入体内。

生命大爆发与海洋霸主

生命在海洋中经过了 30 多亿年的孕育。终于，在 5 亿多年前，短短 2000 万年内，突然出现了所有现生动物门类的早期代表，这被称作寒武纪生命大爆发。物种突如其来的大爆发，使得生物间吃与被吃的竞争越加激烈。

奇虾当时算是称霸海洋界的霸主，在大多数动物都只有1~3厘米长的时候，奇虾就可以达到2米长，真可谓是庞然大物了！奇虾拥有一对巨型前肢，可以通过扇动身体两侧的叶片快速游动，捕捉猎物。最厉害的是它们那直径25厘米的巨口，口中有环状排列的外齿，可轻松掠食其他体表带有硬壳的节肢动物，比如三叶虫就是它们非常喜欢捕食的对象。

奇虾

一些小型生物为了避免受到攻击，身体上出现了像刺一样的结构，比如怪诞虫。怪诞虫嘴巴里也长有环形齿，但身长只有几毫米，只能以一些浮游生物为食。

怪诞虫

奇虾

昆明鱼

海口鱼

嘴巴闭合的需求与上下颌的出现

5 亿多年前，在今天的云南澄江，生活着一对好兄弟——昆明鱼和海口鱼，它们是所有脊椎动物的祖先。它们是无法张嘴和闭嘴的无颌类鱼形动物，嘴巴像吸管一样，把海水吸入口中，靠滤食海洋中的生物为生，它们"之"字形的躯干可以轻松躲过奇虾的"魔爪"，但是被动的取食方式让它们很难长久存活下去。

甲胄鱼也是一种无颌类鱼形动物。它们头上像是戴了一个头盔，嘴巴仍然不会开合，厚重的盔甲使得它们懒懒地不想动，只能匍匐在水底的污泥中寻找微小的食物，这种艰难地取食方式使得它们最终走向灭绝。

甲胄鱼

后来上下颌的出现，改变了无颌类鱼形动物滤食和运动的生活方式。能够自由闭合的嘴巴不仅能让鱼类主动捕食，还是它们防御和进攻的武器。就这样，真正的鱼类出现了。最早具有上下颌的脊椎动物是棘鱼类和盾皮鱼类，盾皮鱼类的头部和胸部覆盖着骨甲，它们的颌是由头部两侧支撑鳃的弓状骨演化而来的。在泥盆纪时期，盾皮鱼类是最占优势的水生脊椎动物，但因为体外有厚重的骨骼包裹，行动不便，不利于快速捕捉猎物，它们最终消失于二叠纪时期。

邓氏鱼

邓氏鱼就是盾皮鱼类的典型代表，体长可达 10 米，差不多是一辆汽车的长度。迄今为止，它们是咬合力最大的鱼类，嘴巴的开合速度非常快，能迅速地把猎物吸进口中，被它们捕到的生物基本上无法生还，威震四方的它们比现在的鲨鱼还要凶猛，海洋中的生物几乎都是它们猎食的对象。

软骨鱼与硬骨鱼

裂口鲨

古鳕鱼

要想吃到美味就要在水中快速游动，要想不被吃掉更需要快速躲避。于是，摆脱了盔甲束缚的软骨鱼和硬骨鱼出现了，现存的软骨鱼都生活在海洋中，比如鲨鱼。最古老的鲨鱼出现在 4 亿年前的泥盆纪晚期，叫作裂口鲨。它们拥有流线型的身体，嘴巴的位置在头部的正中央。它们在捕捉猎物时先用尾巴包围住猎物，再咬住猎物，最后将其整个吞下。

后来出现的硬骨鱼有硬质骨骼，口的两侧由鳃盖骨覆盖，看不到成排的鳃裂。它们的种类和数量比软骨鱼的多，我们在餐桌上经常见到的鲤鱼、带鱼、草鱼、鲢鱼都属于硬骨鱼。

软骨鱼种类较少，没有鱼鳔，大部分生活在海洋中；而硬骨鱼的种类繁多，更容易适应多变的生活环境，所以如今广泛生活在海洋、河流、湖泊等各种水域中。软骨鱼演化过程中还出现了一种介于软骨鱼和硬骨鱼之间的过渡类型——软骨硬鳞类鱼，如著名的中华鲟。

中华鲟

9

植物"登陆"

4.2 亿年前的志留纪末期，地壳运动剧烈，陆地面积增加，此前一直生活在海洋中的植物有了露出水面的机会。能够长期在空气中生活的早期植物是裸蕨，它们没有叶子，只能利用绿色的枝条进行光合作用。想要在没有浮力支撑身体的陆地上生活，植物们面临的第一个难题就是要学会"站立"，第二个难题就是如何获取水分，维管组织的出现解决了这些问题。

裸蕨

顶囊蕨可能是最原始的陆生维管植物。它们长得矮小纤细，才几厘米高，头上还顶着两个圆圆的"小脑袋"，没有根也没有叶片，结构非常简单。别看它们弱不禁风，它们可是登上陆地的元老级植物。蕨类植物的成功登陆让荒芜的陆地有了生命之光，也为后来登陆的动物们提供了食物。

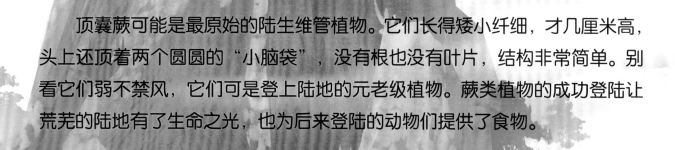

维管组织

顶囊蕨

陆地环境相对于水中过于干燥，并且没有了水的浮力，植物要在陆地上生活，就要完善内部结构。植物的茎需要很多疏导管，用来疏导水分，输送营养。在种种生存压力下，早期的维管组织就这样出现了。

肉鳍鱼登陆

到了 3.8 亿年前的泥盆纪晚期，陆地上已经有大片的森林，其中穿行着昆虫、蝎子、蜘蛛等陆生节肢动物，这些节肢动物在鱼类登陆上岸前，就已经率先掌握了在陆地上呼吸和运动的技巧了。此时，大多数生物都还在水中生活，陆地上越发丰富多彩的生活环境，以及荤素具备的美味等待着各种动物前来探索。

肉鳍鱼

后来的地壳运动致使许多水塘逐渐干涸，大部分鱼类都死亡了，而肉鳍鱼凭借自己的肉质鳍支撑着身体蠕动到附近的水塘中去。随着水塘逐渐变少，肉鳍鱼在陆地上的时间越来越长。在不断的爬行中，它们肉质鳍中的骨骼也变得强壮，越来越适应在陆地上移动了，因此肉鳍鱼成为所有陆生脊椎动物的祖先。

1938年

原本人们认为肉鳍鱼已经在中生代末期随着恐龙一起灭绝了，但在 1938 年人们竟然在海洋中发现了肉鳍鱼的活体矛尾鱼。它们的尾巴长得很像古代作战时用的矛，体长可达 2 米，体重为 60~90 千克。矛尾鱼生活在200 米以下的深海区域，它们的新陈代谢非常缓慢，每天仅吃 10~20 克食物就足够了，乌贼和鱼类都是它们捕食的对象。食量小会不会是它们长寿的秘诀呢？

两栖动物

　　虽然肉鳍鱼可以长期生活在陆地上，不过还是要回到水中产卵，幼年个体也需要在水中生活，于是两栖动物诞生了。两栖动物是最早登陆的脊椎动物，它们都是典型的"肉食主义者"。用四足在陆地上迈出第一步的脊椎动物叫鱼石螈，生活在3.8亿年前的泥盆纪晚期。鱼石螈是从肉鳍鱼演化而来的早期四足两栖动物，身体结构还保留了一部分鱼类的特征。成功登陆的鱼石螈除了会在水中捕鱼，还会在陆地上捕捉昆虫——那时候昆虫还不会飞。鱼石螈逮到它们并不难，可以尽情享受海陆美味。

鱼石螈

青蛙

虽然鱼石螈实现了脊椎动物登陆的第一步，但是它们的繁殖依旧不能脱离水。这也导致了两栖动物的活动范围只能在水源地附近。例如，我们熟悉的青蛙，其幼体蝌蚪用鳃呼吸，需要在水中生活；成年个体逐渐长出四肢，尾巴消失，用肺呼吸，多半在水塘附近的陆地生活。所以，对水体仍有较大依赖的两栖动物并没有实现真正的登陆。

鱼石螈

15

爬行动物与羊膜卵

从石炭纪到二叠纪早期，地球上地壳运动频繁，气候潮湿，沼泽遍布。在这种舒适的环境中，陆地上的动植物种类越来越多，爬行动物产出了带有硬壳的卵，于是它们不必再回到水里进行繁殖，可以走更远的路，发现更美妙的世界。天上飞的昆虫、陆地上的蕨类植物和水中的鱼类都是它们的美食。

林蜥

羊膜卵小知识

两栖类动物的卵外没有任何包裹，如果被产在干燥的陆地上很快就会因缺水而"夭折"。后来到了石炭纪时期，终于出现了一种能够将壳、胚胎和水环境包裹在一起的结构，这就是羊膜卵。羊膜卵的出现减少了脊椎动物在个体发育中对外界水环境的依赖，为动物征服陆地创造了条件，是脊椎动物演化史上的一次飞跃。

　　活动范围的增大让爬行动物的四肢逐渐强壮起来，不过它们的四肢还不足以支撑起自己的身体，比如我们现在看到的鳄鱼就是肚皮贴在地面上匍匐前进，行动不是很方便。因此，鳄鱼在捕食时一般是潜伏在水中突然出击，因为在陆地上它们很难通过奔跑成功捕到猎物。

鳄鱼

哺乳动物初养成

二叠纪中期，爬行动物在陆地上繁衍生息的时候，哺乳动物的祖先出现了，它们叫作似哺乳动物，是介于爬行动物和哺乳动物之间的过渡物种，既有爬行动物卵生的生殖方式，又有哺乳动物体温恒定的特征。就在爬行动物和似哺乳动物开始稳步发展的时候，陆地上动物种类越发丰富起来，争夺食物、占据有利地盘是它们每天的必修课。

犬颌兽

看似凶狠的似哺乳动物，最辉煌的时候是在二叠纪时期。进入中生代以后，恐龙的繁荣发展，使得似哺乳动物获取食物的能力越来越弱，只能靠吃恐龙吃剩的残渣度日。不过，它们的出现为哺乳动物的演化开辟了道路。

中国犬颌兽化石

水龙兽

犬颌兽就是一种典型的似哺乳动物，看起来像狗，有一对长长的犬齿。它们的四肢与躯干接近垂直，膝部向前，肘部向后，行动的敏捷性增加了。它们是活跃的猎手，发现猎物时，它们会先悄悄占据有利位置，待时机成熟再发动攻击。它们的犬齿用来咬穿和撕裂猎物的皮肉，颊齿用来把撕下来的肉块切成更易于消化的小块。

许氏禄丰龙

似叉骨祖翼兽

恐龙的牙齿与食性

中生代时期是恐龙最值得骄傲的一个时期。最早发现的恐龙化石是生活在 2.3 亿年前的三叠纪末期的恐龙的化石，那时恐龙的种类还不算多，侏罗纪时期恐龙很繁盛，最后到了白垩纪末期这一神秘物种离奇灭绝。

肉食性恐龙的牙齿

植食性恐龙的牙齿

地球上出现过的恐龙种类很多，如何能快速判别它是吃什么的呢？根据恐龙的牙齿结构，就能大致判别它们的食性。植食性恐龙的牙齿一般都比较细小，排列密集，肉食性恐龙的牙齿比较宽大尖锐，像匕首一样。还有一些杂食性恐龙，比如被称为"中华第一龙"的许氏禄丰龙，它们的牙齿短而密集，而研究发现它们尚未消化的食物中有甲壳质的外壳，所以人们认为许氏禄丰龙除了吃植物嫩叶，还会捕捉一些昆虫来补充蛋白质。

霸王龙

肉食性恐龙除了吃植食性恐龙之外，还会吃一些与恐龙共同起源于三叠纪末期的哺乳动物填一填牙缝。那时哺乳动物的体长都没有超过 1 米，比如似叉骨祖翼兽、短指挖掘柱齿兽、中华侏罗兽、攀援始祖兽、张和兽等，它们有的擅长爬树，有的可以飞行，有的像鼹鼠一样喜欢挖洞找食物，稍不留神就会被肉食性恐龙吃掉。

短指挖掘柱齿兽

翼龙

恐龙时代的空中捕食者

中生代时期活跃的不仅有恐龙，还有天空中飞翔的翼龙以及海洋中的鱼龙、蛇颈龙和沧龙，它们几乎占据了整个生态位，海陆空都被它们牢牢地占据着。虽然翼龙、鱼龙、蛇颈龙和沧龙并不属于恐龙，但它们的力量也不容小觑。

鱼龙

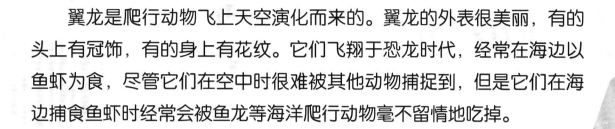

翼龙是爬行动物飞上天空演化而来的。翼龙的外表很美丽，有的头上有冠饰，有的身上有花纹。它们飞翔于恐龙时代，经常在海边以鱼虾为食，尽管它们在空中时很难被其他动物捕捉到，但是它们在海边捕食鱼虾时经常会被鱼龙等海洋爬行动物毫不留情地吃掉。

在中生代中后期，有一种恐龙在捕捉猎物时加速奔跑，逐渐能使自己的身体腾空，最后终于飞向了蓝天。看来美食的魅力还是非常大的。在我国辽宁省建昌地区发现的赫氏近鸟龙就是这样的。它们外形似鸡，身上有羽毛，头上的羽冠呈红色，其他部位的羽毛颜色均为灰、黑两种颜色。赫氏近鸟龙的演化为鸟类的出现奠定了基础。

蛇颈龙

赫氏近鸟龙

食量与生存

　　演化过程中，处于食物链顶端的动物对环境更敏感。恐龙时代的地球是非常温暖潮湿的，对那些体温不恒定的恐龙来说是非常好的栖息地，但气温的骤降以及食物种类的稀缺等生态环境的种种改变，导致了恐龙的灭绝。

三角龙

食物链底层的生物不仅什么都吃，而且食量很小，即使在恶劣的环境中也能存活，比如早在泥盆纪就出现的蟑螂。它们被称作"打不死的小强"，到现在依然活跃在地球的各个角落。

恐龙灭绝原因的猜想之一就和食量有关。在中生代后期，出现了一种前所未有的植物——会开花的被子植物，它们是现在地球上最为高等的植物类群，但对一些恐龙来说却是"毒药"。美丽芬芳的花朵吸引了植食性恐龙前来食用，但也给恐龙带来了灭顶之灾。有人认为体形庞大、食量也很大的植食性恐龙，因摄入过多被子植物，被其中的"毒素"毒死了。迄今发现的最早的被子植物是辽宁古果，被誉为"世界上第一朵花"。

因吃而发生的演化

在不断变化的环境下，物种因为"吃"与"被吃"而发生了各种各样的演化，有的成功生存下来，有的则不幸灭绝。一些肉食动物，在吃上更是下足了功夫，它们的门齿强大到可咬住猎物，犬齿呈匕首状，上下颌的颊齿就像刀一样，可以把肉切成小块。一些肉食动物体形适中，便于快速奔跑，追赶猎物；而一些肉食动物（如剑齿虎）体形较大，奔跑速度慢，不易捕捉到猎物，就被淘汰了。

剑齿虎

马

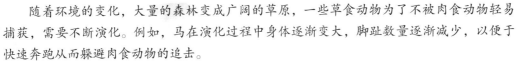

随着环境的变化，大量的森林变成广阔的草原，一些草食动物为了不被肉食动物轻易捕获，需要不断演化。例如，马在演化过程中身体逐渐变大，脚趾数量逐渐减少，以便于快速奔跑从而躲避肉食动物的追击。

距今最近的一次冰期出现在 2 万年前，当时的哺乳动物有真猛犸象、披毛犀、剑齿虎和人类。真猛犸象体形庞大，脂肪层很厚，全身披着厚厚的毛发，足以在寒冷的冰期生存下去。标志性的象牙能够帮助它们推开厚厚的积雪寻找草本植物，强壮的臼齿可以将草本植物轻松嚼碎。随着冰期逐渐逝去，气温不断升高，最终真猛犸象走向了灭绝。

剑齿虎

披毛犀

真猛犸象

地猿的牙齿

能人

人类的吃与牙齿的变化

从猿演化到人之后，我们已经走过了 700 万年，远不如恐龙称霸地球的时间长。但是，人类拥有聪明的头脑。最开始人类牙齿较为粗大，方便磨碎较为粗糙的植物茎干，那时人们依靠在野外狩猎、采集植物为生。

在直立人阶段，人类学会了用火，并会把食物用火烤熟再食用。熟食使得牙齿的咀嚼能力变弱，渐渐地人的牙齿变小，颌部变短，面貌也越来越接近现代人。就这样，从最初只会把肉烤熟食用，到现在可以制作各种菜肴，人类对吃有了更深的研究。

直立人牙齿

人类的牙齿